돼지책

글·그림 앤서니 브라운   옮긴이 허은미

웅진주니어

글을 쓰고 그림을 그린 **앤서니 브라운**은 1946년 영국에서 태어났습니다. 독특하고 뛰어난 작품으로 높은 평가를
받고 있는 그림책 작가 중의 한 사람으로, 많은 작품들이 전세계에서 출간되어 널리 사랑 받고 있습니다.
1983년 〈고릴라〉로 '케이트 그린어웨이 상'과 '커트 매쉴러 상'을 받았고, 〈동물원〉으로 두 번째 '케이트 그린어웨이 상'을
받았습니다. 2000년에는 세계에서 가장 뛰어난 그림책 작가에게 주는 '한스 크리스찬 안데르센 상'을 받았습니다.
작품으로 〈미술관에 간 윌리〉 〈윌리와 악당 벌렁코〉 〈앤서니 브라운의 행복한 미술관〉 〈우리 엄마〉 등이 있습니다.

글을 옮긴 **허은미**는 1964년 태어나 출판사와 기획 모임 등에서 어린이책을 기획하고 편집하는 일을 했습니다.
쓴 책으로는 〈종알종알 말놀이 그림책〉 〈잠들 때 하나씩 들려주는 이야기〉 〈똥은 참 대단해!〉 〈영리한 눈〉 등이
있고 옮긴 책으로는 〈악어야, 악어야〉 〈꿈꾸는 윌리〉 〈우리 엄마〉 등이 있습니다.

웅진주니어

돼지책

초판 1쇄 발행 2001년 10월 15일 | 초판 97쇄 발행 2016년 2월 25일
글·그림 앤서니 브라운 | 옮김 허은미 | 펴낸이 서영택 | 연구개발실장 장윤선 | 편집인 이화정 | 책임편집 이복희 | 편집 김혜진 | 디자인 최윤정
마케팅 신동익, 문혜원 | 제작 신홍섭 | 국제업무 이지예 | 펴낸곳 (주)웅진씽크빅 | 주소 경기도 파주시 회동길 20 (우)10881
주문전화 02-3670-1005, 1595 | 팩스 031-949-1014 | 문의전화 031-956-7442 | 홈페이지 http://www.wjjuninor.com
블로그 http://wj_junior.blog.me | 페이스북 http://www.facebook.com/wjbook | 트위터 (@wjbooks)
출판신고 1980년 3월 29일 제 406-2007-00046호 | 한국어판 출판권 ⓒ 웅진씽크빅, 2001 | ISBN 978-89-01-03351-8 · 978-89-01-02697-8(세트)
PIGGYBOOK by Anthony Browne Copyright ⓒ 1986 by Anthony Browne | All rights reserved.
Korean translation copyright ⓒ 2001 by Woongjin Thinkbig Co., Ltd.
This Korean edition was published by arrangement with Walker Books Limited, London through KCC, Seoul.
웅진주니어는 (주)웅진씽크빅의 유아·아동·청소년 도서 브랜드입니다.
이 책의 한국어판 저작권은 한국저작권센터(KCC)를 통한 저작권자와의 독점계약으로 (주)웅진씽크빅에 있습니다.
신저작권법에 의해 보호를 받는 저작물이므로 무단전재와 복제를 금지하며, 이 책 내용의 전부 또는 일부를 이용하려면
반드시 저작권자와 (주)웅진씽크빅의 서면 동의를 받아야 합니다.

이 도서의 국립중앙도서관 출판시도서목록(CIP)은 e-CIP 홈페이지(http://www.nl.go.kr/cip.php)에서 이용하실 수 있습니다.
(CIP제어번호: CIP2005002340)
잘못 만들어진 책은 바꾸어 드립니다.
주의 1. 책 모서리가 날카로워 다칠 수 있으니 사람을 향해 던지거나 떨어뜨리지 마십시오. 2. 보관 시 직사광선이나 습기 찬 곳은 피해 주십시오.
웅진주니어는 환경을 위해 콩기름 잉크를 사용합니다.

줄리아에게

피곳 씨는 두 아들인 사이먼, 패트릭과 멋진 집에 살고 있었습니다.
멋진 정원에다, 멋진 차고 안에는 멋진 차도 있었습니다.
집 안에는 피곳 씨의 아내가 있었습니다.

"여보, 빨리 밥 줘." 피곳 씨는 아침마다 외쳤습니다.
그리고는 아주 중요한 회사로 휭하니 가 버렸습니다.

"엄마, 빨리 밥 줘요." 사이먼과 패트릭도 외쳤습니다.
그러고는 아주 중요한 학교로 휑하니 가 버렸습니다.

피곳 씨와 아이들이 떠나고 나면, 피곳 부인은 설거지를 모두 하고,

침대를 모두 정리하고,

바닥을 모두 청소하고,

그리고 나서 일을 하러 갔습니다.

"엄마, 빨리 밥 줘요."
아이들은 아주 중요한 학교에서 돌아와 저녁마다 외쳤습니다.

"어이, 아줌마, 빨리 밥 줘."
피곳 씨도 아주 중요한 회사에서 돌아와 저녁마다 외쳤습니다.

피곳 씨와 아이들이 저녁을 먹자마자,
피곳 부인은 설거지를 하고,

빨래를 하고,

다림질을 하고, 그리고 나서

먹을 것을 조금 더 만들었습니다.

어느 날 저녁, 아이들이 학교에서 돌아와 보니
집에는 반겨 주는 사람이 아무도 없었습니다.

"엄마는 어디 있니?"
피곳 씨가 회사에서 돌아와 물었습니다.

피곳 부인은 어디에도 없었습니다.
벽난로 선반 위에 봉투가 하나 있었습니다.
피곳 씨는 그 봉투를 열어 보았습니다.
안에는 종이가 한 장 들어 있었습니다.

"이제 어떻게 하지?" 피곳 씨가 말했습니다.
피곳 씨와 아이들은 손수 저녁밥을 지어야 했습니다.
시간이 많이 걸렸습니다. 그리고 아주 끔찍했습니다.

다음 날 아침, 피곳 씨와 아이들은 손수 아침밥을 지어야 했습니다.
시간이 많이 걸렸습니다. 그리고 정말 끔찍했습니다.

다음 날 그리고 그 다음 날 밤, 또 그 다음 다음 날에도
피곳 부인은 집에 돌아오지 않았습니다. 피곳 씨와 사이먼과
패트릭은 굶지는 않았습니다. 하지만 설거지를 하지 않았습니다.
빨래도 하지 않았습니다. 곧 집은 돼지우리처럼 되었습니다.

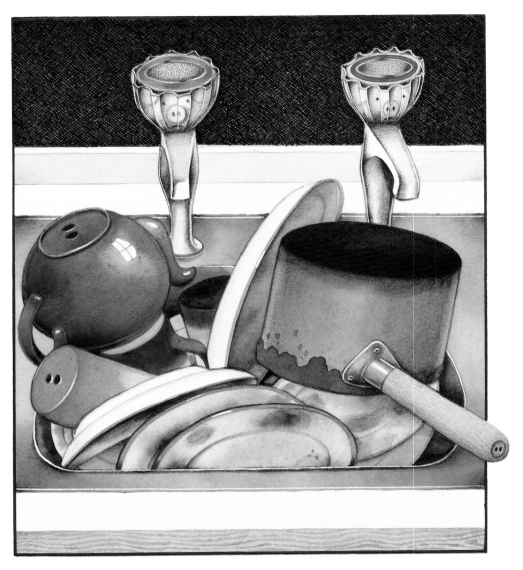

"엄마는 언제 돌아와요?"
끔찍한 저녁을 먹고 나서 아이들이 꽥꽥거렸습니다.
"낸들 알겠니?" 피곳 씨가 꿀꿀댔습니다.
피곳 씨와 아이들은 점점 더 심술을 부렸습니다.

어느 날 밤, 집에는 먹을 게 하나도 없었습니다.
"온 집 안을 샅샅이 뒤져서 음식 찌꺼기라도 찾아야 해."
피곳 씨가 씩씩거렸습니다.

그런데 바로 그 때, 피곳 부인이 걸어 들어왔습니다.

"제발, 돌아와 주세요!"

피곳 씨와 아이들이 킁킁거렸습니다.

그래서 피곳 부인은 집에 있기로 했습니다.
피곳 씨는 설거지를 했습니다.

패트릭과 사이먼은 침대를 정리했습니다.

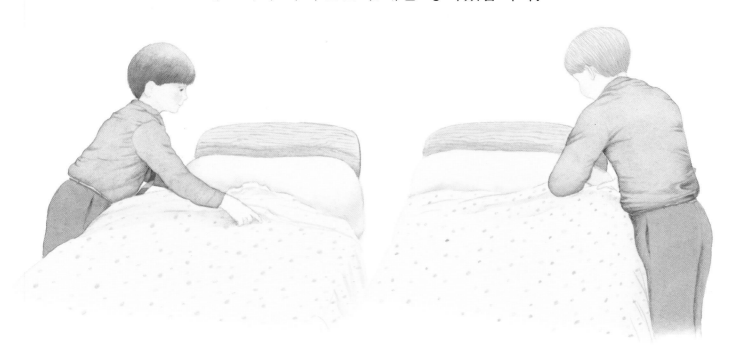

피곳 씨는 다림질을 했습니다.

그리고 피곳 씨와 아이들은 요리하는 것을 도왔습니다.
요리는 정말로 재미있었습니다!

엄마도 행복했습니다.

엄마는 차를 수리했습니다.